HET BIJZONDERE BEESTJES BOEK

Tekst en illustraties
YUVAL ZOMMER

Beestjesdeskundige
BARBARA TAYLOR

Zie jij in dit boek 15 keer deze
vlieg? Pas op voor neppers!

HET BIJZONDERE BEESTJES BOEK

LEMNISCAAT 8 ROTTERDAM

WIE VIND JE HIER?

ALLERLEI BEESTJES

Wie staan er in dit boek?

Allerlei vliegende, stekende en wriemelende beestjes.
Ontmoet verschillende insecten, van zoemende bijen
tot kruipende kevers, en allerlei kriebelbeestjes, zoals
slakken, spinnen, wormen en duizendpoten.

Wat zijn hun overeenkomsten?

Ze hebben geen botten in hun lijf.
De meeste van deze beestjes hebben
een skelet aan de buitenkant, dat
heet een exoskelet.

Wat is een halfvleugelige?

Een halfvleugelige of een snavelinsect is een speciaal soort insect dat scherpe deeltjes aan zijn bek heeft om te steken en eten op te zuigen.

Dieren zonder ruggengraat...

... worden 'ongewerveld' genoemd. Insecten vormen de grootste groep ongewervelde dieren.

BEESTJESSPEURDERS

Wat vindt een beestje van jou?

Voor een piepklein beestje ben jij een reus!
In de insectenwereld is een bloem zo groot als
een boom en een steen zo hoog als een rots.
Kom mee, dan gaan we insecten zoeken.

Beestjes verstoppen zich

Ze houden van donkere plaatsen en wonen
onder vochtige houtblokken, onder stenen
en in donkere bloempotten.

Doe altijd aardig

Beestjes vinden het niet fijn als je ze
oppakt, maar ze vinden het niet erg
als je naar ze kijkt.
Kijk dus goed, maar raak ze niet aan.

8

BEESTJES
BOEK

Beestjesspeurspullen

Maak foto's van de beestjes die je
ziet, of teken ze na. Schrijf ook op
welke beestjes je waar hebt gezien.

Au!

Veel beestjes bijten of steken als
ze 'Ga weg!' willen zeggen.
Als je een beestje bang maakt,
kan het je pijn doen.

Beestjes houden van bloemen

Blijf stilstaan bij lentebloesem of zomer-
bloemen om bijen en vlinders te zien.

9

BEESTJESSTAMBOOM

Lijken alle beestjes op elkaar?

Nee! Er zijn verschillende soorten (of families) insecten.
Zo kun je ze uit elkaar houden:

Insecten hebben...

... een lijf dat uit drie delen bestaat
... zes poten
... twee, vier of geen vleugels
... voelsprieten

Huisjesslakken en naaktslakken hebben...

... een slijmerige 'poot' waarmee ze voortglijden
... voelsprieten
... een huis waarin de huisjesslak kan schuilen
... de wetenschappelijke naam:
   'gastropoda'

Zie jij...

... twee wandelende takken? Hint –
ze zien eruit als dunne takjes.

Spinnen hebben...

... acht poten

... geen vleugels

... een lijf dat uit twee delen bestaat

... de wetenschappelijke naam: 'arachnida'

Duizendpoten en miljoenpoten hebben...

... heel veel poten

... een lijf dat bestaat uit een kop en veel ringen (segmenten)

... voelsprieten

... de wetenschappelijke naam: 'myriapoda'

Wormen hebben...

... geen poten

... een lang, buigzaam lijf

... een opening aan beide uiteinden

... de wetenschappelijke naam: 'annelida'

KEVERS

Hoe kevert een kever?

Een kever kruipt op zes poten. Hij heeft een hard schild,
dat als een soort harnas zijn vleugels beschermt.

Grote keverfamilie

Er zijn duizenden verschillende soorten
kevers. Ze wonen in bomen, in water,
in zand, in ijs en zelfs in jouw huis.

Eet me niet op!

Sommige kevers sproeien
met gif om te laten weten:
'Laat me met rust!'

Zie jij...

... twee mestkevers die poep
tot grote ballen rollen,
om lekker op te eten?

Keverbaby's wriemelen

Ze komen uit eieren en heten larven.

13

LIEVEHEERSBEESTJES

Hoeveel stippen heeft een lieveheersbeestje?

Dat verschilt, want er zijn allerlei soorten.
Een lieveheersbeestje is een kever. Ze bestaan in allerlei
kleuren, groottes en patronen. Soms zelfs zonder stippen!

Tuiniers zijn dol op lieveheersbeestjes

Lieveheersbeestjes eten bladluizen: kleine, groene
beestjes die planten eten. Een lieveheersbeestje is
dan ook de beste vriend van een tuinier!

Lieveheersbeestjes in de ruimte

Lieveheersbeestjes hebben in een raket gevlogen voor wetenschappelijk onderzoek.

'Pas op! Ik ben giftig!'

De heldergekleurde vleugels van een lieveheersbeestje waarschuwen: 'Ik smaak hartstikke vies.'

Lieveheersbeestjes houden een winterslaap

Ze zoeken een donkere plek om met een hele groep te overwinteren.

VLINDERS

Hoe vliegt een vlinder?

Hij fladdert met zijn prachtige vleugels van bloem naar bloem. Hij drinkt daar een zoete drank uit, die nectar heet.

Een vlinder ruikt met zijn voelsprieten

Hij zuigt de nectar op door een lange buis die aan zijn kop vastzit.

Een vlinder laat zaad groeien

Hij verspreidt gouden poeder, dat pollen heet, van bloem naar bloem.

1

Een vlinder verandert

Hij begint als eitje. Daar komt een wriemelende rups uit, die zich rond eet aan bladeren.

2

De rups maakt een pop...

... die wordt een chrysalis genoemd. Daarbinnen verandert hij opnieuw.

3

De pop scheurt open

De wriemelende rups is veranderd in een prachtige vlinder!

MOTTEN

Wat doet een mot de hele dag?

Hij verstopt zich. Je kunt een mot nauwelijks zien op de stam van een boom, bladeren of vogelpoep. 's Nachts gaat hij op zoek naar zoet sap, zoals bloemennectar, om te eten.

Mottenvleugels zijn stoffig

De kleine haartjes op zijn vleugels zien eruit als stof en voelen ook zo. Maar raak nooit de vleugels van een mot of vlinder aan, want ze kunnen breken!

Goed in verstoppen...

Er zitten op deze bladzijde 29 motten verstopt. Kun jij ze allemaal vinden?

Een mot heeft nep-ogen

De grote vlekken op de vleugels van nachtuiltjes lijken op ogen. Daar schrikken hun vijanden van.

MIEREN

Waarom lopen mieren in een rijtje?

Omdat iedere mier de mier volgt die voor hem loopt. In één nest wonen duizenden mieren. Samen houden ze het nest schoon en veilig en verzamelen ze voedsel.

Een mier praat met zijn voelsprieten

Een mier tikt met zijn voelsprieten andere mieren aan om een boodschap door te geven.

Mieren volgen reuksporen...

... die andere mieren hebben achtergelaten om voedsel te vinden dat ze terug kunnen brengen naar hun nest.

De koningin legt veel eitjes

Zij is de moeder van alle mieren in het nest. Veel mieren leven maar 90 dagen, maar de koningin kan 15 jaar worden!

BIJEN

Waarom zoemen bijen zo?

Als een bij met zijn vleugels slaat, maakt dat een zoemend geluid. Honingbijen zoemen van bloem naar bloem en helpen zo meer bloemen te laten bloeien.

Honingbijen wonen in een korf

Alleen de koningin legt eitjes. Werkbijen doen alles voor de koningin. Ze brengen haar eten en helpen om de korf te bouwen, schoon te houden en te bewaken.

Zie jij...

... twee gestreepte wespen tussen de bijen? Zoek naar dunnere lijfjes. Ze hebben ook scherpe kaken.

1

Hoe maken bijen honing?

Een honingbij zuigt met zijn lange tong
de zoete nectar uit een bloem. Daarna...

2

In de bijenkorf...

... maken de bijen van de nectar
vloeibare honing, die de imker
kan oogsten.

Dansende bijen

Kijk nog eens naar de bijenkorf.
De bijen doen een wiebelig
dansje om om elkaar te vertellen
waar verse bloemen zijn.

WILDE
BLOEMEN-
HONING

23

NACHTBEESTJES

Zijn beestjes bang voor het donker?

Zeker niet! Veel beestjes voelen zich 's nachts
juist veiliger dan overdag. 's Nachts kunnen
ze zich beter verstoppen voor de grotere
dieren die hen op willen eten.

Als vlinders slapen...

... vliegen er motten rond de kamper-
foelie, omdat die bloemen zoet geuren
in de avondlucht.

Naar het licht vliegen

Een beestje vindt zijn weg in het licht van de maan. Maar door electrische lampen kan hij in de war raken – daar vliegt hij tegenop!

Zie jij...

... een spin die op een lekker hapje wacht?

Het lijf van een gloeiworm geeft licht

Een gloeiworm zegt een vriendje goedendag door het licht aan het puntje van zijn staart te laten flitsen.

TERMIETEN

Wat bouwen termieten?

Torens die hoger zijn dan een mens, gemaakt van aarde, spuug, hout en poep. Ze maken ook ronde nesten in bomen. Soms zijn hun nesten ondergronds.

Zie jij...

... een koningstermiet en koninginne-termiet die wegvliegen om een nieuw huis te gaan bouwen?

De meeste termieten zijn werkers

Soldatentermieten bewaken het nest.
De anderen verzamelen planten en hout
om te eten en zorgen voor de eitjes.

Termieten houden het hoofd koel

Hoewel termieten in warme landen
wonen, zijn hun torens koel. Hoge
schoorstenen laten de warme lucht uit
het nest verdwijnen.

27

VLIEGEN

Waarom vliegt een vlieg rond eten?

Omdat hij honger heeft! Hij wil jouw verse maaltijd.
Hij vindt ook het suikerwater uit oud, rottend eten
verrukkelijk. Dat zit vol goede stoffen.

Een vlieg kotst op zijn eten

Zijn kots maakt het eten zachter,
zodat de vlieg het makkelijker
op kan slurpen.

Zie jij...

... een rups die mee komt picknicken?

28

Een vlieg kan ondersteboven lopen

Uit een vliegenpoot druipt een soort lijm
waardoor hij blijft plakken

Een vlieg is moeilijk te vangen

Hij vliegt snel, achteruit, vooruit en hij
kan zelfs stilhangen en ronddraaien.

Een vlieg heeft speciale ogen

In ieder oog zitten wel 4.000 lenzen,
zodat hij de kleinste beweging kan zien.

LIBELLEN

Wat is een drakenvlieg?

In het Engels wordt een libel een drakenvlieg genoemd omdat hij een jager is en zo goed kan vliegen. Hij kan een looping maken en zelfs achteruit vliegen!

Een libel heeft megagrote ogen

Een libel kan al van ver insecten zien waar hij naartoe kan zoeven om ze op te eten.

Zie jij...

... een libel die zijn maaltijd
in de lucht heeft gevangen?

Waterbaby's

Babylibellen komen uit eitjes die in het water
zijn gelegd. Ze leven in het water, tot ze op
een dag vleugels krijgen en wegvliegen.

DUIZENDPOTEN

Heeft een duizendpoot echt 1.000 poten?

Jammer genoeg niet. De meeste duizendpoten hebben ongeveer 30 poten, maar sommige hebben er meer dan 300. Een duizendpoot kan daar snel mee lopen. Hup, twee, drie, vier...

Een duizendpoot heeft een buigzaam lijf

Ieder deel, of segment, van zijn lijf, heeft een eigen paar poten.

Een donker, vochtig huis

Een duizendpoot woont onder bladeren en takken. Hij moet zijn lijf vochtig houden.

Hoe groot is een reuzenduizendpoot?

Zo groot als een etensbord. Een tropische reuzenduizendpoot eet kikkers, vogels en zelfs vleermuizen.

Duizendpoten zijn superoud

Ze woonden al op aarde vóór de dinosaurussen.

33

KREKELS EN SPRINKHANEN

Waarom tsjirpen ze in het gras?

Om een partner te vinden. Een mannetjeskrekel
of sprinkhaan tsjirpt om een vrouwtje te lokken.
Krekels en sprinkhanen tsjirpen ook als ze willen
waarschuwen: 'Pas op! Gevaar!'

Hoe maken ze muziek?

Een sprinkhaan wrijft met zijn poten langs zijn
vleugels om te tsjirpen. Een krekel wrijft zijn
vleugels tegen elkaar.

Zie jij...

... alle sprinkhanen? Een sprinkhaan
heeft korte voelsprieten of antennes.
Die van een krekel zijn juist lang.

34

Ze kunnen goed springen

Een krekel en een sprinkhaan hebben
allebei lange poten om hoog mee
te springen.

Ze kunnen niet goed vliegen

Krekels en sprinkhanen hebben twee paar
vleugels, maar ze kunnen slecht vliegen.
Sommigen kunnen het helemaal niet.

WANDELENDE TAKKEN

Waarom lijkt een wandelende tak op een tak?

Zodat een groter dier denkt dat hij een tak is en geen eten!
De wandelende tak lijkt op de takjes waarop hij woont.

Wandelende takken zijn groot of klein...

... dik of dun en hebben allerlei kleuren en patronen, net als echte takken. Sommige lijken op bladeren.

Een wandelende tak eet bladeren

Verschillende wandelende takken houden van verschillende bladeren. Ze kunnen er heel veel van eten!

Een wandelende tak kan een poot verliezen

Als een wandelende tak gevangen is, kan hij een poot afbreken en wegrennen. Er groeit een nieuwe poot aan.

Een vrouwtje legt eitjes

De baby's komen uit en groeien alleen op.

Zie jij...

... twee insecten die op bladeren lijken?

BIDSPRINKHANEN

Waar komt die naam vandaan?

De sprinkhaan vouwt zijn voorpoten
samen als iemand die aan het bidden is.

Een bidsprinkhaan doodt met zijn poten

Hij grijpt zijn prooi met zijn lange, stekelige
voorpoten. Dan vreet hij hem levend op,
meestal de kop als eerste.

Zie jij...

... een bidsprinkhaan lekker eten?

Zie jij...

... een bidsprinkhaan die je over zijn schouder aankijkt? Hij kan zijn hoofd helemaal achterstevoren draaien.

Het vrouwtje is groter dan het mannetje

Vaak eet een vrouwtjesbidsprinkhaan een mannetje op. Daar wordt ze extra sterk van, zodat ze veel eitjes kan leggen.

WATERBEESTJES

Hoe kan een schaatsenrijder op het water lopen?

Door zijn superlange poten. Hij glijdt en springt over het wateroppervlak. Hij heeft een licht lijf en zet zijn poten ver uit elkaar zodat hij niet zinkt zoals wij.

Wat gebeurt er onder water?

Er zijn allerlei dieren om op te eten. Beestjes duiken naar voedsel en schieten weg voor grotere dieren die hen op willen eten.

Knappe slakken

Een rivierslak slaat lucht op in zijn huisje zodat hij onder water kan ademen. Hij kan ook ademen door zijn huid.

Zie jij...

... een bootsmannetje? Dat is een kever die op zijn rug zwemt en lijkt op een omgekeerde boot.

Een beestje met een snorkel

Een waterschorpioen kan naar het oppervlak drijven en lucht opzuigen door een adembuisje.

41

SLAKKEN

Hoe langzaam gaat een slak?

Superlangzaam! Het kost een slak een dag om
naar het einde van een lange tuin te glijden!

Een slak ziet en ruikt

Een slak heeft vier voelsprieten. Aan
de twee lange sprieten zitten ogen. Met
de twee korte ruikt hij wat hij kan eten.

Een slakkenhuis is veilig

Maar pas op! Een vogel kan de schaal
kapot pikken en de slak opeten.

Slakken wonen op natte plekken

Ze laten een slijmspoor achter, dat ze helpt vooruit te glijden.

Een slak legt eitjes

Daar komen babyslakjes uit. Als ze groter worden, groeit ook hun huisje.

REGENWORMEN

Hoe bewegen regenwormen?

Ze hebben geen poten, dus ze strekken zich en schuiven
om vooruit te komen. Ze houden grip op de bodem met
kleine haartjes op hun lijf.

Goed voor de tuin

Door de tunnels die een regenworm
graaft, wordt de aarde luchtig.
Dat is goed voor de planten.

Een regenworm is doof en blind

Hij voelt kleine bewegingen in de grond en weet dan:
'Ik moet oppassen! Er is een vogel in de buurt!'

Een regenworm heeft veel water nodig

Als een regenworm uitdroogt kan hij doodgaan.
Hij maakt zelf kleverig slijm om zijn lijf lekker
vochtig te houden.

Dode planten als diner

Een regenworm eet van alles wat rot,
zand, aarde en kleine steentjes!

SPINNEN

Hoeveel poten heeft een spin?

Een spin heeft 8 harige poten en 48 knieën.
Sommige spinnen hebben lange, dunne poten, andere korte,
dikke. Er zijn een heleboel verschillende soorten spinnen.

Een spin heeft veel haar

Hij gebruikt zijn haar om mee te voelen,
te horen en te ruiken. Het haar voelt
de kleinste bewegingen.

Een spin heeft 8 ogen...

... maar kan dingen die ver weg zijn
niet goed zien.

**Een spin spint zijde
met zijn lijf**

Hij weeft een web met lange,
sterke zijdedraden en vangt
daar vliegende beestjes in om
op te eten.

Zie jij...

... een valdeurspin, die een val bouwt
om zijn prooi te vangen?

47

BABYBEESTJES

Lijkt een babybeestje op zijn ouders?

Een babyslak lijkt op een kleine slak, maar een babykever begint als een wriemelend dingetje dat een larve heet. Kijk maar hoe hij verandert in een kever...

De meeste beestjes komen uit een eitje

Hoeveel eitjes zie je op deze tekening? Bij welke beestjes horen ze?

De meeste beestjes letten niet op hun eitjes

Maar de vrouwtjesspin wel. Ze draagt een zak met eitjes tussen haar kaken.

Vlieg naar bladzijde 16 om te zien hoe een rups verandert in een vlinder.

Zie jij...

... de oude huid van een duizendpoot? Als een duizendpoot groeit, werpt hij zijn oude huid af en groeit er een nieuwe.

Een mestkever legt eitjes in poep...

... zo weet zij zeker dat haar baby's te eten hebben als ze uitkomen.

BEESTJES IN BEWEGING

Waarom zijn beestjes zo snel?

Beestjes bewegen snel om eten te zoeken, een partner te vinden of te ontsnappen aan iemand die ze op wil eten.

Langeafstandvliegers

Een monarchvlinder vliegt duizenden kilometers naar het zuiden om een warme, zonnige plek te vinden waar hij kan overwinteren.

Hoogspringers

Een schuimcicade heeft achterpoten die lijken op een katapult. Als de schuimcicade net zo groot zou zijn als jij, zou hij over een huis kunnen springen!

Spring naar bladzijde 34 om sprinkhanen te zien die 20 keer hun lengte kunnen springen!

Snelvliegers

Een paardenvlieg vliegt sneller dan een auto op de snelweg. Ook libellen kunnen heel hard vliegen.

Hardlopers

De Australische zandloopkever en de Amerikaanse kakkerlak rennen superhard voor hun lengte.

Zie jij...

... een gestipt lieveheersbeestje in een plant klimmen?

51

HUISBEESTJES

Waarom zijn beestjes graag binnen?

Net als jij houden ze ervan dat het warm en droog is en dat er allerlei eten te vinden is. In huis leidt een beestje een makkelijk leventje.

Een spin is een fijne gast in huis

Hij zit stilletjes in een hoekje en vangt de vliegen die jouw eten op willen eten!

Zie jij...

... een zilvervisjesfamilie? Een zilvervisje is een klein grijs insectje met drie tanden aan zijn staart.

Een kakkerlak eet alles

's Nachts scharrelt een kakkerlak rond en eet hij alles wat hij tegenkomt, zelfs lijm, papier, zeep en schoensmeer!

Een stofmijt stofzuigt dode huid

In jouw huis wonen miljoenen piepkleine stofmijtjes. Ze eten het stof dat bestaat uit kleine dode stukjes huid.

WELKOM

WERKENDE BEESTJES

Hoe helpen beestjes ons?

Beestjes doen allerlei belangrijke klusjes. Ze helpen ons voedsel te laten groeien. Ze zijn zelf eten voor andere dieren. En ze ruimen rommel op!

Een vliegend beestje helpt fruit te laten groeien

Vliegende beestjes verspreiden pollen tussen de bloemen. Dat helpt planten om fruit voort te brengen dat wij kunnen eten.

BIOLOGISCHE BOER

Een beestje is eten voor anderen

Vogels, kikkers, egels en dassen eten allemaal
heel veel beestjes. In sommige landen eten
ook mensen mieren, keverlarven en krekels.

Een beestje eet rommel op

Beestjes zoals miljoenpoten en regenwormen helpen
op te ruimen door dode bladeren te eten. Keverlarven
eten rot hout en strontvliegen eten dierenpoep.

TUINBEESTJES

Wanneer voelt een beestje zich fijn?

Of je nu een grote tuin hebt, een klein tuintje of
alleen een bloembak, beestjes vinden het fijn als
je ze eten geeft en een plek om te wonen.

Vlindervreterij

Zaai zoveel mogelijk bloeiende bloemen in je
tuin of plantenbak. Kijk eens hoe vlinders en
insecten de nectar drinken als ontbijt!

Rupsenrestaurant

In een oude eierdoos kun je een feestmaal aanrichten voor
rupsen. Vul hem met sappige groene bladeren en zacht gras.

BIJENHOTEL

Bijenhotel

Bind een aantal bamboestengels bij elkaar en duw ze stevig in een bloempot. Hang het hotel met een touwtje aan een lage boomtak in de schaduw.

KRIEBELBEESTJES-
KAMPEERPLAATS

Kriebelbeestjeskampeerplaats

Vul een bak met dood en rottend hout, bladeren en mos, waar beestjes hun gang in kunnen gaan.

ANTWOORDEN

Heb je alle beestjes ontdekt?

Kijk naar de platen om daar achter te komen. En alle verstopplekken van de vlieg uit het begin van het boek.

24-25 Nachtbeestjes

10-11 Beestjesstamboom

26-27 Termieten

12-13 Kevers

28-29 Vliegen

22-23 Bijen

30-31 Libellen

34-35 Krekels en sprinkhanen

36-37 Wandelende takken

38-39 Bidsprinkhanen

40-41 Waterbeestjes

46-47 Spinnen

48-49 Babybeestjes

50-51 Beestjes in beweging

52-53 Huisbeestjes

BEESTJESWOORDEN

Zo praat een beestjesexpert

Dit zijn woorden die je kunt gebruiken als je over beestjes praat.

Beestjeslijven

Het lijf van een insect bestaat uit drie belangrijke delen: de **kop**, de **borst** en het **achterlijf**.

Een beestje ruikt en voelt met voelsprieten: de **antennes**.

antennes op de kop

borst

achterlijf

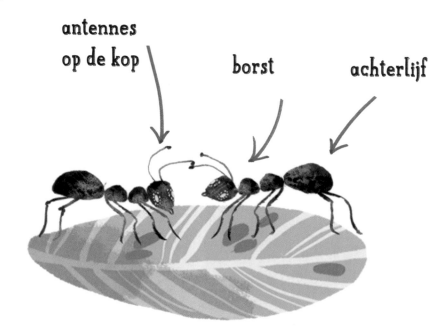

Een insect is **ongewerveld**, dat betekent dat hij geen ruggengraat heeft. In plaats daarvan heeft hij een **exoskelet** aan de buitenkant van zijn lijf.

Overleven

Beestjes blijven uit de buurt van dieren met honger, ofwel **roofdieren**. Sommige beestjes verstoppen zich door op te gaan in de achtergrond. Dat heet **camouflage**.

Sommige beestjes laten met felle kleuren zien dat ze **giftig** zijn, of gevaarlijk om op te eten.

Eten uit bloemen

Beestjes bezoeken bloemen om **nectar** te drinken. Nectar is een heerlijk zoet drankje.

Pollen is een kleverig gouden poeder dat in bloemen zit. Een beestje kan deze pollen van de ene naar de andere plant meenemen en zo nieuwe zaadjes helpen groeien.

Een beestjesleven ...

... heet een **levenscyclus**. Veel beestjes beginnen als **eitje**, waar een wriemelend dingetje uitkomt – een **larve** – dat uitgroeit tot een **volwassene**.

In de levenscyclus van een vlinder heet een **larve** een rups. De rups maakt een harde cocon die **chrysalis**, of **pop** heet. Daarin verandert hij in een vlinder.

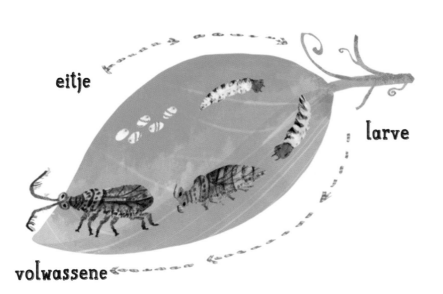

eitje

larve

volwassene

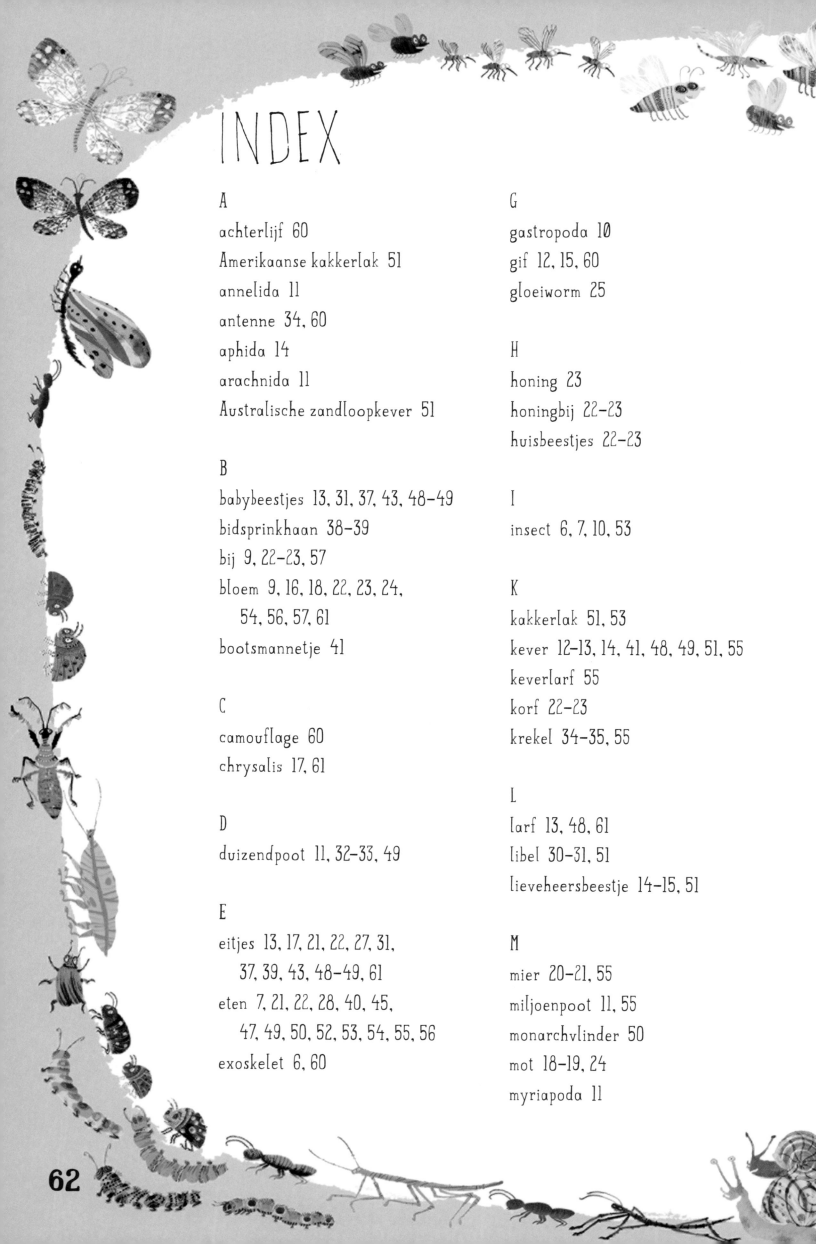

INDEX

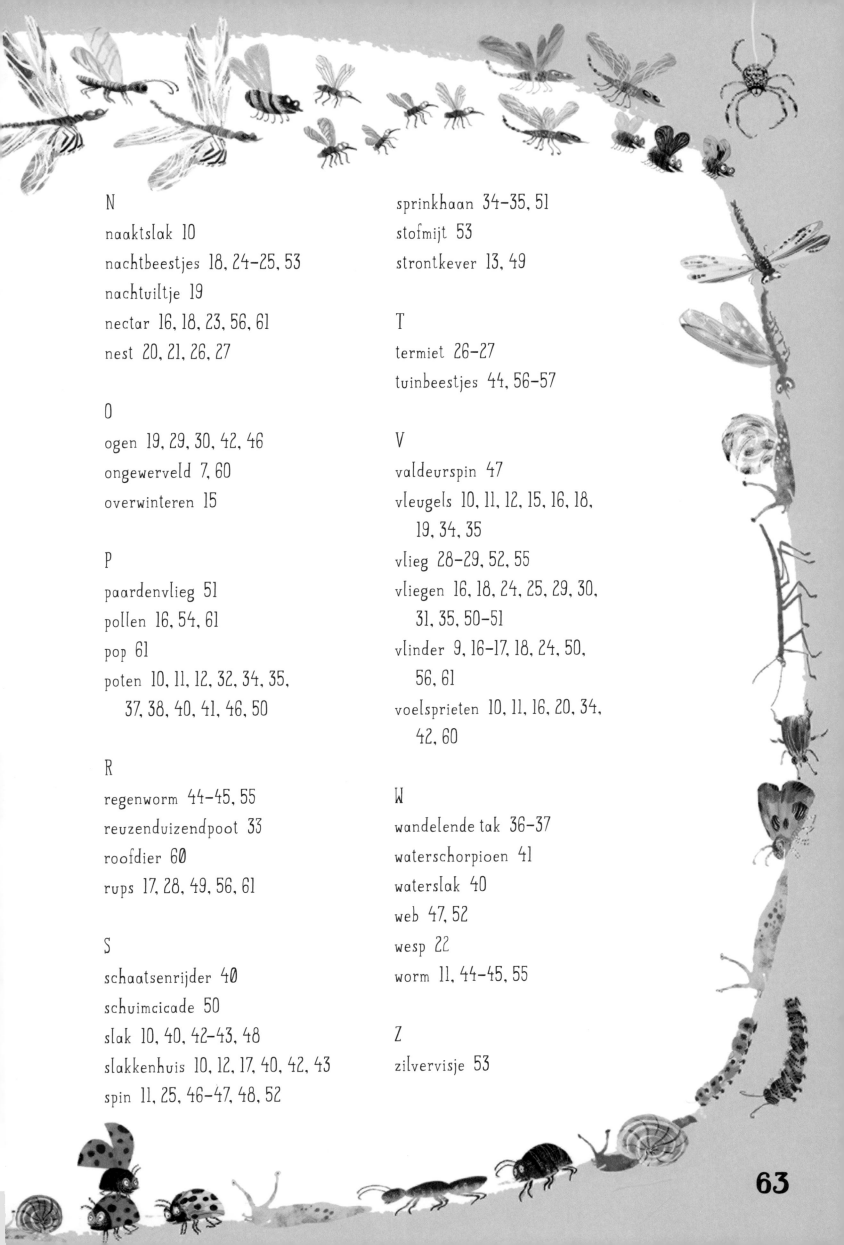

Voor Navit, mijn grote zus, met alle liefde.

Vijfde druk, 2020
Vertaling: Jesse Goossens
Nederlandse rechten Lemniscaat b.v.,
Vijverlaan 48, 3062 HL Rotterdam 2016

Tekst en illustraties © 2016 Yuval Zommer
Oorspronkelijke titel: *The Big Book of Bugs*
Oorspronkelijke uitgever: Thames & Hudson Ltd,
181A High Holborn, London WC1V 7QX

ISBN 978 90 477 0786 8

Drukwerk: Everbest Printing Co. Ltd, China

www.lemniscaat.nl